我想要這樣一輩子
講故事下去
你停留在孩子的模樣
專心地聽故事
不管我說的是什麼

「那不是老人臉狗嗎？」

「老人臉狗！」

「他是來看他兒子的。」

old man
face dog
bookshop

老奶奶唱歌給神奇的爐灶聽
小孩子畫了另一棟無法理解的房子

The grandmother sings to the marvelous stove
and the child draws another inscrutable house.

——Elizabeth Bishop, *Sestina*

老人臉狗書店就在我家樓下。

每天放學後，我都會到那裡去聽老人臉狗講故事。

媽媽去工作的時候，
也會把我帶到老人臉狗書店。
他總是說著全世界最安靜的故事，
聽著聽著、呼嚕呼嚕，
我們都會一起睡著。

在老人臉狗的故事裡，
我總是開心地玩打鬥遊戲。
阿兵哥、直升機、戰鬥機！
砰砰砰砰砰！

在老人臉狗的故事裡，

我總是在迎來的風中，

開心地大聲亂唱，

咚咚咚！咚咚咚！！咚咚咚！！！

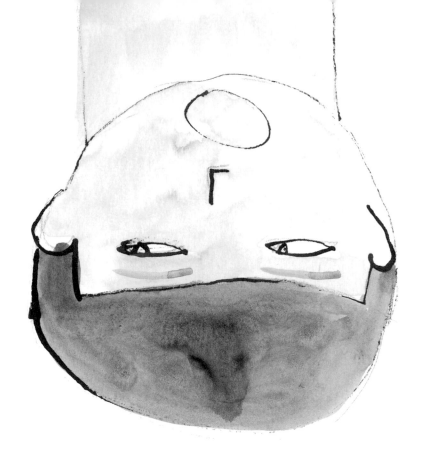

有一次睡著的時候，我突然聽到了媽媽的聲音。
「布力，我們要搬家了。」
「老人臉狗要跟我們一起嗎？」

就在剎那間，老人臉狗變成了媽媽的臉，我醒了過來。

我沒有把要搬家的事跟老人臉狗說，
我想他應該會知道的。

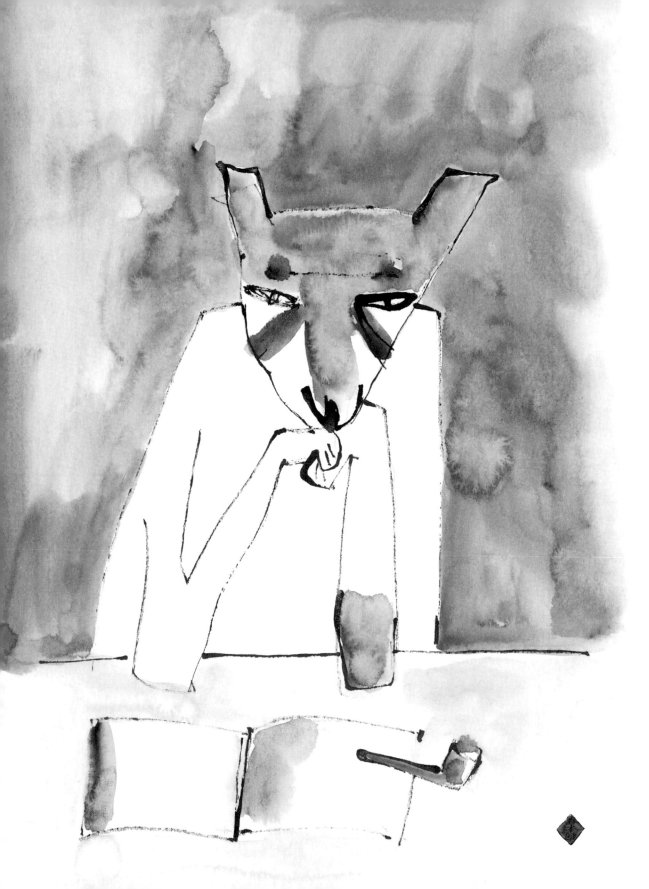

最後那幾個月，
我還是每天去老人臉狗書店。
日子跟平常沒有兩樣。

後來有一天，我發現他身上的斑點不見了，
似乎是從那天開始，老人臉狗不太講故事給我聽了，
常常在睡覺。我心裡不太開心。

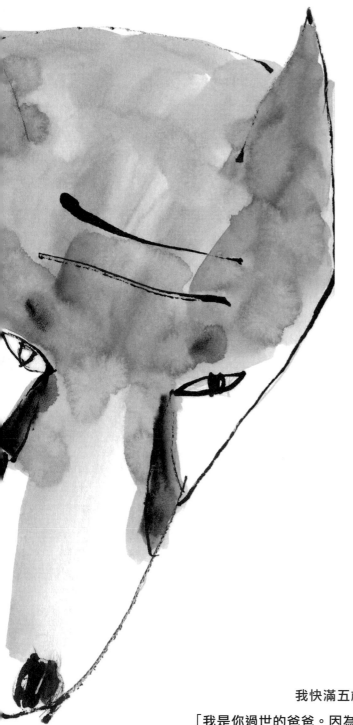

我快滿五歲的某天，老人臉狗突然跟我說：
「我是你過世的爸爸。因為太想念你，所以變成了一隻狗。」
「現在我一定要走了，以後會每年來看你。」

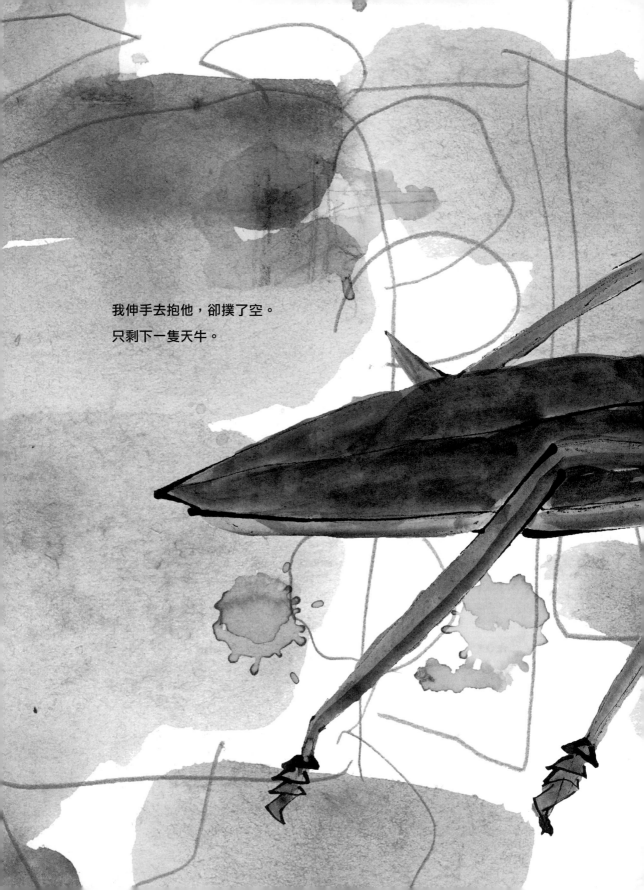

我伸手去抱他，卻撲了空。
只剩下一隻天牛。

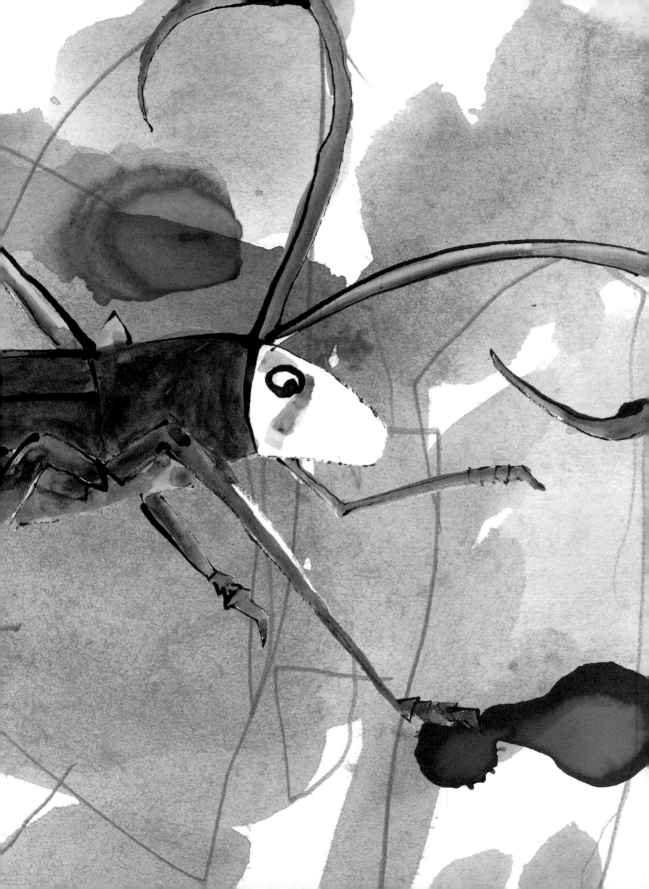

天空突然下起大雨。

老人臉狗消失了。

書店也消失了。

從那天開始，
我突然會自己看書了，
突然也覺得自己長大了。

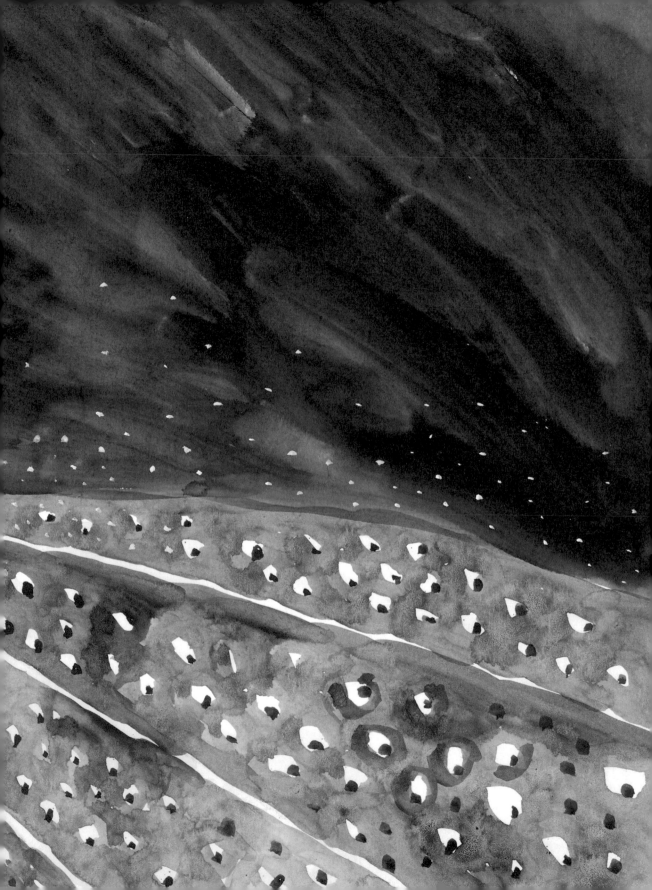

這就是老人臉狗當時説給我聽的

全世界最安靜的故事

他把我抱在懷裡

我就安心地睡著了

我很好，接著我成為大人。
時間持續——就跟雨水一樣，
那麼多，那麼多，像是無法被移走的重量。

I was well, then I was an adult.
And time went on – it was like the rain,
so much, so much, as though it was a weight
that couldn't be moved.

——Louise Gluck, *Time*

老人臉狗

老人臉狗是以照片中這隻狗為原型，牠是我和兒子路過寵物店時撞上的。牠體型中上，不時撲上路人，寵物店店員恐牠闖到馬路上危險，便及時接手牠。牠身上沒有晶片，看來是被棄養的。店員好心讓牠住在店裡美容部的籠子裡，雖已是最大的籠子，但對牠來說還是很小。因為牠很吵，店員拿一塊布蓋住籠子，只看到牠大大的手伸出籠子外。我和店員商量好，每天來帶牠去散步，但不到一週，店員突然表示我不能再插手這件事，原因是老闆交代。當下雖有點憤怒，幾經思索後唯一的辦法是我先領養牠。店員把牠名為弟弟。我接手弟弟時，店員把店裡所有試吃包都送我，大大的一袋。看她跟狗說話的樣子，就知道她曾有過愛狗。

整個送養的過程很受挫（連獸醫店都不給貼海報），簡直像大海撈針。牠太大隻了。非常臭。後來發現牠不但未結紮，腹部又都是難好的濕疹，吃藥要吃很久。牠暫時住在我家陽台（總比籠子好），因家裡還有兩隻貓。

後來終於找到一對從南投上來台北定居的夫妻願意收養弟弟，好像妻子原來就想養大型犬。我再看到弟弟的時候牠皮膚病都好了，全身非常健美，聽說主人很愛牠。

弟弟的樣子給了我故事的靈感。我想每個生命來到世上，應該是有牠想探望的人。

作者介紹｜馬尼尼為 maniniwei

美術系卻反感美術系。停滯十年後重拾創作。

著散文《沒有大路》、詩集《我和那個叫貓的少年睡過了》、繪本《詩人旅館》等數冊。

作品入選台灣年度詩選、散文選。另也寫繪本專欄文逾百篇。偶開成人創作課。

獲國藝會視覺藝術、文學補助數次。目前苟生台北。育一子二貓。

「請不要問這是給大人還是小孩看的，繪本沒有界限。」

老人臉狗書店

作者 / 繪者　　馬尼尼為

媒材　　　　　墨、水彩於模型紙

編輯　　　　　廖書逸

設計　　　　　張家榕

發行人　　　　林聖修

出版　　　　　啟明出版事業股份有限公司

地址　　　　　台北市敦化南路二段 59 號 5 樓

電話　　　　　02-2708-8351

傳真　　　　　03-516-7251

網站　　　　　www.chimingpublishing.tw

服務信箱　　　service@chimingpublishing.tw

法律顧問　　　北辰著作權事務所

印刷　　　　　漾格科技股份有限公司

總經銷　　　　紅螞蟻圖書有限公司

地址　　　　　台北市內湖區舊宗路二段 121 巷 19 號

電話　　　　　02-2795-3656

傳真　　　　　02-2795-4100

初版　　　　　2019 年 5 月

ISBN　　　　　978-986-97054-8-6

定價　　　　　NT$400　HK$110

國家文化藝術基金會
National Culture and Arts Foundation
NCAF

財團法人國家文化藝術基金會補助